A-MAZE
CHILLER
WORD SEARCH
PUZZLES

kidsbooks
Incorporated

Published by KIDSBOOKS, Inc.
7004 N. California Ave.
Chicago, Illinois 60645 U.S.A.

ISBN: 0-942025-05-9

MANUFACTURED IN U.S.A.

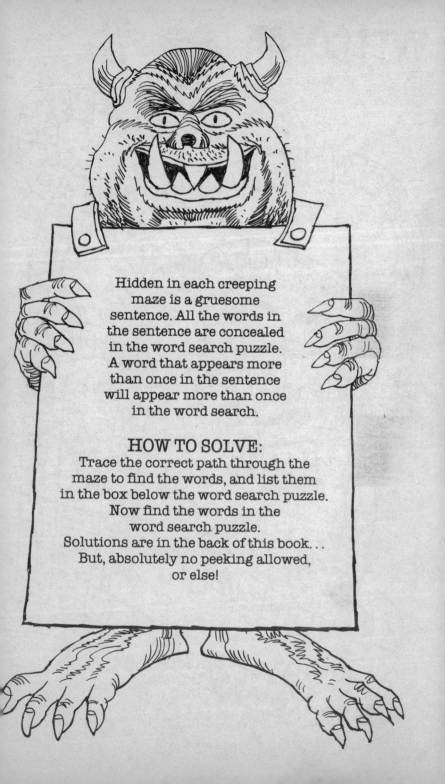

Hidden in each creeping
maze is a gruesome
sentence. All the words in
the sentence are concealed
in the word search puzzle.
A word that appears more
than once in the sentence
will appear more than once
in the word search.

HOW TO SOLVE:
Trace the correct path through the
maze to find the words, and list them
in the box below the word search puzzle.
Now find the words in the
word search puzzle.
Solutions are in the back of this book...
But, absolutely no peeking allowed,
or else!

WELCOME

```
G N E D B G N I E Z A M A Y B E
A T M E I A L A N A L Y R V I G
H W O R D T W E L C H S M O F E
D I E V I L N G Y A C T M L A Z
I R N G N S E A R C R E C U V O
L E U M G E Q P R D A R C M G H
K L O Q Y V V Y Y N O E I W E S S
L L P T S B L H W A S O G A Z I
M I A R W Z E Y T O O U K S M H
N H T U X D N U E A T S B A L T
T C L H E A R D A R K D B C D E
F H G I J E F G H S T U V W X M
N O E F S T U V T U V W X Y T O
P Q R S T U V N O P Q R S T U C
D E F G H I U V C D R P O R B L
F E D C B A N M L K J I H G F E
G H I J H I J K L I N O P Q R W
```

In the space below, list the words that you have found in the maze. Now find them in the word search above.

```
I M G C S B G N I H T Y R E V E
C N D G I K N O R S U W C Y S L
E F T H J L M P Q T V B Y S Z K
I W N H T T A B P U M S O M T E
M Q R C E A N T R H A R V A E I
T T I W N A T I E M C G I L C F
N P O U B C A E H A H K M L Q L
A R S T P X D F I G J L N O P A
I B A D C A O M S P A T N T Y T
G T T O B Y T B T T M R Q O N T
I S N H C E D H O H I C P H N E
T H M R X P P P R G I A T N T N
S G O N B F L E I C P T R H G I
H O I W C O Y A C H T O W N D N
P S L Z L H A H A E T H E O S G
S C U R R I E D Z X I C K O B C
Y A D M N R E T S N O M N D G E
```

In the space below, list the words that you have found in the maze. Now find them in the word search above.

UGLY

START

THE UGLY CRITTER

THE UGLY
GNU

WRETCHER

HAIRULE

WHISGRUESOME

SOMEBODY

DEEDEHTOT NINY

DEPTHS OF THE SPOOK

ENOOGALY

END

8

```
B E D T M T Y S I G N G L J T H
L L Z O P Y K O O P S E V M I U
A E I N T O T O R H T T B S V B
G O Q B C X L M N P P L E K K E
O R U V E F G C H E I U N L R O
O J P U R W G R U E S O M E N E
N O X N O Q L E M D K C H U G H
S E T Z K H Y A E R V B E G D T
E C H O M E S T B A T T B L A R
D R B T O T T U O F W T C Y W T
H A N O R N O R I S E W D N A H
O F E V E B N E L O S E H Q E D
E R S S O T A R S H S W G P A I
E C N D K O S H T P E D I O V C
T O Y F G R L A H R K E V E U R
Y B O R A L Z O H Q Z U F R H S
V A C O T U O T B A E V E S E T
```

In the space below, list the words that you have found in the maze. Now find them in the word search above.

SCREAMS

```
F S N R Z O R Z R B C O L D D R
W E L E C H O E D L R N I A D Y
W L B C A D F H J L M K I G E O
N P R L T V X Z A Y W U S Q F O
S H L D A W D R B B R A C Z V K
L S P Z H N S O T U H S T H R E
D L E W F T U Q V B C D H E F G
H J S K L S M T I M E S R B C K
N A C D G Z I J K E O N O Q P K
W F B E F H S R E H L M U M I N
F O W F A M L L O T Y D G W O O
P H E P A W X T R U L R H A B I
R Z T E U V Y A A M Z O C D E S
F G R H I J K L M N O R P Q R N
S C T U V Z D F G E D R R D I A
S W Y A B C E H I K H E L W G M
X H A U N T E D J L P T U G R E
```

In the space below, list the words that you have found in the maze.
Now find them in the word search above.

```
L W O G N I T A R E P O H W L D
A B H O K P Q L R S A C E L E T
U J T M U V E Y N X W Z A F G D
G S W T I C H S B Q T H D T W C
H N T O L G V E O Q N G E R T R
T L U T N T H L P R R H D T T M
E T H Z O K I M B D C R M R O O
R J D P I R S M L R C H T I L R
N F I N T Y Y A B N T D A N D F
W O B P A N W D W S K M B T V G
H T L I E O Q H I N X S L K L A
E R N L R T H T R A L L E R S G
H H T B C R N U N J L E Z B C D
T E G R T E X Y F O U R Z E I N
F H P S I B F S T V O J M P E Q
J L N C V D G F H C L L I R H S
K M S U W U W X O L Y K Z L T R
```

In the space below, list the words that you have found in the maze. Now find them in the word search above.

```
T L B H Z Q K L N B P N Q B Y H
W D Y N K L Z R O A R E D V H T
R A S B C D F O G H J K L I I M
W N C D B V U L T S R Q S P M N
L D Y M V E S L T N K S B J Y X
E L C A T R I E N T E R M H M B
N Y S E T N S D H S T R U C K A
G T H R K T Y M R N J H L I V E
E N B C L S H D N A K R D Y D E
H F A S S T B E A M L L S C L E
T B W N W Y R K C T Y S W T A M
D B O C D F G H J W H E T M Y R
L F U E I C H N K S T Y H N Q E
F T T B Y Q M O N S T E R N W S
O H B M B C E D C F G E H N I A
T Y T H R E E S C L O U D Z T L
H A G O N Y T H E N A S L Z V Q
```

In the space below, list the words that you have found in the maze. Now find them in the word search above.

WEB

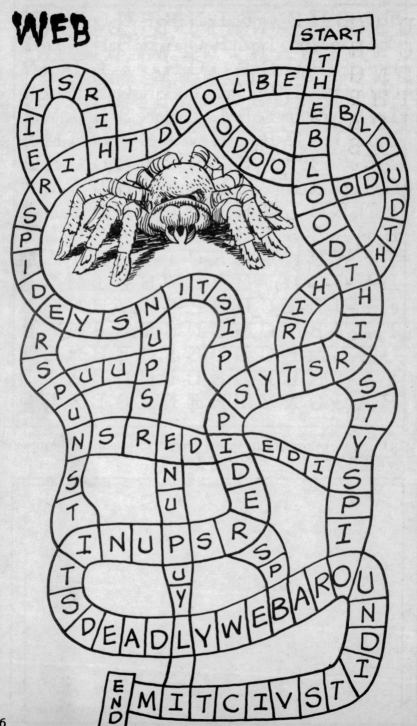

START

END

```
D S C G I A N E F H B H D R O U
C R R T W A N I N I W P E H M W
D N G A N U O D N F M H A D S P
T H B H U C S N A N S F D S P S
I O A S U I S U A C N B L M N E
T A S R N L N O G L M O Y T E S
S U E R T H I R S T Y T H S P C
T H B D R H B A H Y S O T P T K
A S A B P C E R B L R D U I Z K
S P U N E S A S L M A A O R B M
T U P F O H Y A B I C D O O L B
D F J A H R L R D T A M E S H Z
X J L O E S A E E C H E S K L L
W K S D T T F T U I U E R C R A
Z Y I T S X U V R V A E S A B G
T P Q O Z B T E M Z O Q V N E T
S Y O H A C D R U P Q L A A W S
```

In the space below, list the words that you have found in the maze. Now find them in the word search above.

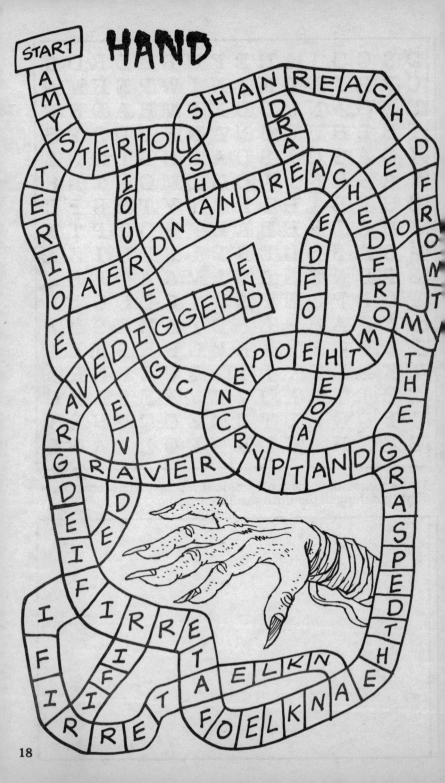

START

HAND

18

```
T R U O F A Z T V N G E Y C T M
H E G H E Z T E V Y C L I T M Y
O A Y B G L C R P Q V N G C T S
Z C N Y N D N R Y V D R J V U T
N H L D X J U I M C X E N C V E
J E D J E C V F P D K G Y L S R
K D B S O X Z I B C Z G C A T I
V K L U R Y T E E S S I N E P O
D J M L N A N D D G R D T U Y U
U Z X Y V B A L Y R M R C V R S
Z R S S D M N C G A J G D N C Z
O T G Y X U K P N S X T I G R E
D Y H N P O L F E P H J K B C B
K U V M T H E G V E X V W T D U
T C O L C Z L V A D E D Y L P Y
Y R E Y J K D J R L Z C F I Q B
F J O Z U V E G G R O V E F D C
```

In the space below, list the words that you have found in the maze. Now find them in the word search above.

GHOUL

START

THE GHOUL'S LONG SHARP

THE BEAST FROM

HEART OF THE BEAST

TREE BOR FROM

BZEMAN

END

THE BEAST FOTHER DIST

20

```
E X B R T D I S T A N T M R C Q
D P L S P E H L G D N R F E J O
E N V A D A N O T H E R T N Y B
A I R E R N F I N T O X W Y Z E
B C D P E F G H I M J K L M N A
E X D P E N B R T D I S G T A S
T N T M R C Q D P L L H S P E T
H E A R T H L G D N O R F E J O
E E N H V A D A N U N O T N E H
E R E T N Y B A L I G R C D E F
G H I J K L M S N O P Q R S T U
V W X Y Z A B C D E F G H I E J
B N V W O R L D D I S T A H X E
K N T G H O U Z R H Y T T E M S
N W C C W P N T H A T G U L F R
A I F A N G S R X R H H F S O M
S T H O S E B E E T E O O T N I
```

In the space below, list the words that you have found in the maze. Now find them in the word search above.

Solution on Page 56

SERPENT

START

THE MONSTER

END

```
B S E R P E N T D L A H Y R W Y
Y W R T A O R H T Y H A L D R T
N E P R E N S E B C D F G E A H
J K F L B X Q I U L T S D P P G
G T P M D R J G T L S V P A P S
N B H J R L V K Q S E R P E E N
I B Y W R T W A O R H S T H D Y
L H A L D R O I N E R P T R E N
G S E B C D L F G E E A H J K F
G L Y L T H G I T A A N N I H T
U B Y N J G N S I L G G Y T H G
R P T G N D N T B U Q T O N T H
T A A F B O S Y G T S P M H D R
S J W G M T L S W P D R E G Q H
F A I F Y O V K O W N Y O S P L
O U N L E D N U O R A O U E T I
N T O I F U E N F N H R W S I N
```

In the space below, list the words that you have found in the maze.
Now find them in the word search above.

Solution on Page 57

WOLF

START

24

```
F L W N V R Y N S T Q B I T D E
W C B S P S O T N D E M A E B G
O S E R U T A E R C N C T R R L
L K M B R M T M L N N L I B C D
F S T S T D S N T L T G E F G H
N F L A H I J K L M H P R S T U
F R S T E T S H F T E T W S P E
X T C S T O S W T S H P T D W R
C F T E M O S I N I K P P U A T
T E J M Q U X B S R R K B C D F
B G F R N D C D R F O G H I J K
C H I O S V N S R G N P O N M L
D K L T P W D U Q O R S U R V T
N W P F E U O B O S T N A M S Y
W P R L L E M M T R H R E R O E
O F I A H G N D N Z D I H O S T
D X G H T R A I N O P U N F R N
```

In the space below, list the words that you have found in the maze. Now find them in the word search above.

BLAZING

START

THE BLAZING FIRE
BREATHING DINOSAUR SET FIRE
TO THE ENTIRE CITY

```
C F N S H L F M A N U Y T E H R
B P D F L T H E S T Q G S E T T
C D I N O S A U R O H G V T B B
D V O N M L K J I H G F E R D C
H Z P Q R S T T U V C H E Z L X
N T W F I R E X D B O A B D A N
J B Y L B S O Y S S T T R N G T
L X T H E L A S G H B T O H H H
C I T Y I B N I I O A L E E R M
G R N F E R D N C F T E G N A G
M U I N O N G P T O D O N T E W
O C I T E B M A S I L G L I A L
K Y Y N E H T I S T I E A R S I
I W U M R A L E I T R M U E N G
B L A Z I N G N R O K C B O C E
F S A C F G I L N O Q U T B D W
E Q B D E H J K P M R S V C F G
```

In the space below, list the words that you have found in the maze. Now find them in the word search above.

LIGHTNING

```
O M I D N I G H T H L I T N G S
F W R O K P U Q V R B S C T D E
U F G W H L J M K O N P N Q R N
S U T N B H J L N S K C A B T D
C D E F G I K M Q P Q R R S T I
B M V C N L I A T P E R F E B N
G O C I R D S T S A N I K S P G
I N I U F E S U R C C D H F I G
D S O W V B C G E E R R O S H I
B T R H T S N N T T R P O S H H
G E T S E B E I N A S N E S E M
I R Y T T G D N U L S E Z H S R
D J N R K U I T H E N D W I N D
S G Y S H I E H D E V B N V N N
Y O Y H H X E G J N A U S E R E
K O X E E B B I E O P L P R L H
S H T H E C A L N V D A E S A T
```

In the space below, list the words that you have found in the maze. Now find them in the word search above.

DESTROY

```
H B G R W N O I T U L O S H E I
O F N E C Y N D I L N B E G N O
W N E A O N D O W E N T O T D L
L L S D G E T O M Y D I O S C T
I F T Y O B C D N E W N V E B C
N L D F G H Y I J K A L M N O P
G O Q R S H T H I P R U E F I C
B W C D S M A L L O S T B C H K
E E F G J K L M N D Q V D G J M
N R R F J M Q R S E B C J K D L
O E B E K T N T T S D E T H E O
P W C G I H P O U T F G M N N P
Q F D H L E O V W R H I Q R R S
O T U D G R E T I O N G P L U G
T H L N N O S I F Y B D F J T Q
E R I A S N C H H G B E G K M P
O L M G T E N O R C C H I L N Q
```

In the space below, list the words that you have found in the maze. Now find them in the word search above.

DUNGEON

START

THE DUNGEON WAS FILLED WITH BATS AND RATS AND SPIDERWEBS AND STARS AND COBWEBS IN ROTTEN SAND AND THE ARCHITECTURE WAS A CHAMBER END

```
T H R N B G R E B C D E P C O M
C D E F G T D V F G H I Q C K S
H I J K L E N T J K L F R T B H
M N O P Q U R E M N I S V E A W
R S T U V I S G O L T U W L T L
C R O Z T E H L L V I N N G S J
S N P S H T R E D I P S O I N T
B C D T B C D L I T G N S T R I
E F G H E F G N B H O N G O T Y
H I W E B S H R E E U R O R E H
J K L M I J K K G W I B F T B C
N O P A L M N N L L T S O U D F
C B L X S N U L I K K E D R U C
R A T S T D C H A M B E R E H O
L N E Q B O M N J O S N T T U G
S D N P C P F G M P H A D R K S
S C Y R F Q H L N H T I W R C M
```

In the space below, list the words that you have found in the maze. Now find them in the word search above.

WICKED

START

THE WICKED OLD HEADS

THE WICKED OLD HEAD SHRINKER HUNTERZ RH

THE WICKED OLD HEAD SHRINKER HUNTERZ RHINE

THE SIGHT OF HER NEXT VICTIM

LAUGHED AT THE SIGHT OF HER NEXT VICTIM

THE SIGHT VICTIM

34

```
B R B D I L J K H E R G H B E I
L C S C J M G H I P E F B D N G
A M D T K N E V F Q K E C T N K
J B N E U O S T U R N B H I I C
K I C O F V A C D S I G H T K E
P L H A T G W M N E R R N D A L
X Q M G H P H X M O H G I L W X
A B R N E X T I Y F S H K Z C D
L M N S N F D T J Z D J O P Q R
Z D Y X T O H E Q K A W V U T S
B E I Q X E W I C K E D C D F G
C H J R B G L Q V Z H L H I J K
D G K S C H M R W B A O F L M N
E U L T D I N S X U O P Z E R Q
F A M U E J O T G Q R S O H H G
G L N V I C T I M T U V B Y I S
H O P W F K P U Y W X Y O T S I
```

n the space below, list the words that you have found in the maze.
Jow find them in the word search above.

SKULL

```
T H E P N C G N I L G N I T J S
S Y M C P D K U E K N W R H Y H
B C D R E F G C H I J K L M N A
T T E H U V H S T W R Q P O P
S L H A E D O I R S H T I N G E
K L N K A O P L E N O P E N E D
U S P I R C R L E N K I N G T N
S O U N D S O S U N I D S T Y X
T H N G T B E F G H I T J K L A
M N O P Q R S T U V W H X Y L Z
B D F H J K N O Q R S A T L N X
C E G I T L M P S E N T U V Y Z
L B P Q O U S N P C H I L Z H E
L G C R S V E I I R T O B U U Q
U L H D T W N M N E N D N X X Q
K M A I E X S A E K L L T T N T
S N O K J F N L I N S S R O O D
```

In the space below, list the words that you have found in the maze. Now find them in the word search above.

GHOSTS

```
P T H E I R L G N O L A L Q T M
I B D V U C A C F F I J L N H P
R C Z I V D B D E G H K M O E Q
A N D C L O N E G D E D A V W R
T A M T N B H F L L H I F I I S
E B O I P C T H G U O R B C N T
S C Q M R D I N H Q W A L T Z U
L D S S T T W Y O F J O B I P V
M E U V W S E Y S H I H C M A W
N F X Y Z H E A T R T A D H H X
O G E F G C H E S L T E E L T Y
P H H I G N Q G E T B C F S H Z
Q I J K D D H D L B H E G T G U
R J L A E F N I M I C J H O U B
S K E N G I J K N F K D I Q O C
T D H O W L I N G L G M J B R D
U L T M O P Q R S T U V K A B F
```

In the space below, list the words that you have found in the maze. Now find them in the word search above.

Solution on Page 61

BEINGS

40

```
N D L L B O N E W T I H T I H S
M Y S T E R I O U S S T I U P I
D B O O I K N T L N S F T N O N
W I W N N T N M Y P R N Y M O H
N E Y P G L E N T O S E B C D A
E F G R S H I J M K L M N O P B
C B C E D E F G H I J K L M N I
A H O X P Q R S T U V W X Y Z T
N B I A C D E F G H I J D K L E
O W X L V U T S R Q P E O N M D
T B L Q D G H A M O H B C B D E
H C M R S R I J N S R F G Y H I
E D N T U D E K I N S J K L M N
R F O V L D L N P Q T O P P Q R
G H P R Z E A P P E A R S T B C
I J O X B V D F G H I J J K L M
K W W Y C F D R A Y L O O H C S
```

In the space below, list the words that you have found in the maze. Now find them in the word search above.

COFFIN

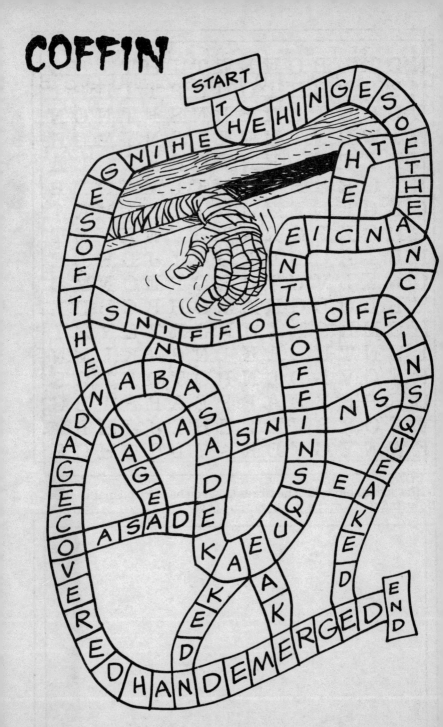

```
Q N N I F F O C H A N D W H Y O
K N I F F Q N D E K A E U Q S B
C D F E F G H I J K S L M N O P
X B W O C V D U E T F S G R H Q
Q B P C O F N I M L Z K E J Y I
D R E S G T H U J V K W M L X M
Y N Z P O Q R T S U V W E X Y Z
E I N F I N I W I T Y F R E F J
W L M O T S D E O N A E G O R E
T C O M T D S G E T R C E E F H
N P L E E I B A T E B D D G H T
E I J K L T M D Q C E G P U L K
I N O P Q H I N G E S H Q V I J
C O V E R E D A R D F I R W G H
N T B F I L N B S H I N G Z F E
A S C E H K O T V J L O S X D B
R U D G J M P U W K N M T Y N C
```

In the space below, list the words that you have found in the maze. Now find them in the word search above.

BAT

START

44

```
P T Z H P R N T C R E C K O N W
T U R N E D B T Q R E U L W F T
B D F H J L M O H P O T N I R S
C E A G I K N I Q E L B A N U T
Z K N O N S M I L S R U I D G H
T J P O H S N R E T Z R I O L E
O N N Y E H T U N T R N C W T V
T L W L C D E R U T C I P C B S
V L F C E R N L T H T N U O C I
G R V T O N H C N T E G D U H R
E O L I U C E K I K Y O U I T I
C R A C K E D M E S R I S M N O
B D G N U L F J L M P Q T S T V
E C G F H T I D K O N R Y A U W
D N T G T S N U L P R G H T B Z
T C E S C A P E R E C K O N W B
P T Z H B C H G U O R H T D F G
```

In the space below, list the words that you have found in the maze. Now find them in the word search above.

EYES

START

HERE EYES WIDENED WITH FEAR AT THE TERRIBLE SIGHT OF THE HEAD...

END

46

```
W N E W T H R O R H T U B T S E
I I C E A E B F I G S N U T Y E
O E T L O D Y T E A Y O T E H R
M C A H U S B U S D F R S R E S
T O F T C H N N W W K A T R K G
H O R S E M A N Y A I D A I I S
H E N I E B U H O L N N L B N U
S R O B T M S E E O G R E L R L
U E U K S I T R R R E P A E L U
H E A D L E S S D G N T N U H O
W O I Z K M D R Q R O E O G W R
D N W H O E T E R R B E W B D F
S E T R N R H I Z Z L O K C E G
B C O E L H E W M L K J R I T H
D Z D E I L O R E T B E G A H W
S I G H T K P Q H U E C I J E X
W F G H J M N S T V D H Y Z E F
```

In the space below, list the words that you have found in the maze.
Now find them in the word search above.

WITCH

```
P C F G E L S M R E N E M R B U
K O N Z K B F I C L H N J I O D
E F T G K P M X Q R S Z H T B U
V Y M I R W S E T X R F O U L Y
B I H L O M L D E A T R M L Z C
C P L A U N A Z R A T M I B D A
I N S C I R S E I D B S L X Y E
T H E W D H A O I P S Z Y F O S
L C B S M E L L I N G L P O W T
D T R L E Q R E H T E G O T D E
A I N A A I S Y Y H E A T R I A
A W A R T C A R T O Y T K L M M
N T W G A I K J O P U B A C L I
O P X E B P K Q E H T A I L O N
Q U H C G L N E V P V D E P A G
R T Y D E M R R U L A F S W H E
S V Z F H C S T I S X G R E T Z
```

In the space below, list the words that you have found in the maze. Now find them in the word search above.

HOWLING

START

END

50

```
P M H Y S M T Z G A T H Z O Y E
T Y J R P Y P T O R H J Q U B C
M S K Y K S R V I R E K K F D E
Y T L M Q T A U S E V L O W G F
I E M R B M T S N S W M S S H I
T R N O C R Y A G I U S U Y K J
S I O Y D B K R A D N E S O L M
R O R R E S F I N E K V P E N O
A U O G F R O H H N L H I U H P
I S R N G A R O H T S G C S Q T
G P R U H I E W O S B K T O R S
C Q E H T R S L W E C R H F T U
H R T W H B T S L F D B G G V W
D S X G E T B B I D E C U D H O
E T D B I S Y T N E F G O O I M
F U N L J F O E G N G D R B M Y
G V T A K O M H C C T F B O S I
```

In the space below, list the words that you have found in the maze.
Now find them in the word search above.

SOLUTIONS

WELCOME

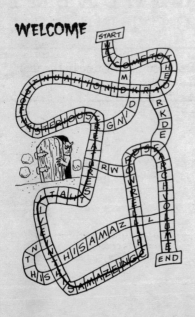

START

END

```
G N E D B G N I E Z A M A Y B E
A T M E I A L A N A L Y R V I G
H W O R D T W E L C H S M O F E
D I E V I L N G Y A C T M L A Z
I R N G N S E A R C R E C U V O H
L E U M G E Q P R D A R C M G H S
K L O Q Y V V Y Y N O E I W E S S
L L P T S B L H W A S O G A Z I
M I A R W Z E Y T O O U K S M H
N H T U X D N U E A T S B A L T
T C L H E A R D A R K D B C D E
F H G I J E F G R T U V W W X M
N O E F S T U Y T U V W X Y T O
P Q R S T U V N O P Q R S T U C
D E F G H I J U V C D R P O R B L
F E D C B A N M L K J I H G F E
G H I J H I J K L I N O P Q R W
```

Welcome to the dark, dingy haunts of mysterious creatures that live in this amazing chiller word search volume.

Pages 4-5

PREHISTORIC

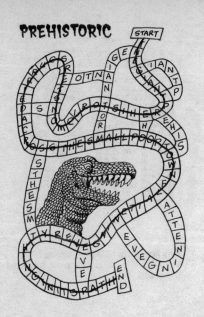

START

```
I M G C S B G N I H T Y R E V E
C N D G I K N O R S U W C Y S L
E F T H J L M P Q T V B Y S Z K
I W K H T T A B P U M S O M T E
M Q R C E A N T R H A R V A E I
T T I W N A T I E M C G I L C F
N P O U B C A E A H K M L Q M A
A R S T P X D F I G J L N O P I
I B A D C A O M S P A T N T Y T
G T T O B Y T B T T M R Q O N T
I S N H C E D H O H I C P H N E
T H M R X P P P R G I A T N T N
G C O N B F L E I C P T R H G I
H O I W C O Y A C H T O W N D N G
P S L Z L H A H A E T H E O S G
S C U R R I E D Z X I C K O B C
Y A D M N R E T S N O M N D G E
```

The giant prehistoric monster
scurried across the small
poor town, flattening everything
in its path.

Pages 6-7

UGLY

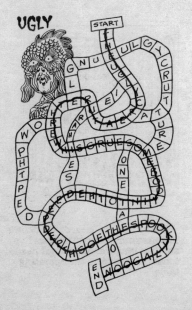

START

```
B E D T M T Y S I G N G L J T H
L L Z O P Y K O O P S E V M I U
A E I N T O T O R H T T B S V B
G O Q B C X L M N P P L E K K E
O R U V E F G C H E I U N L R O
O J P U R W G R U E S O M E N E
N O X N O Q L E M D K C H U G H
S E T Z K H Y A E R V B E G D T
E C H O M E S T B A T T B L A R
D R B T O T T U O F W T C Y W T
H A N O R N O R I S E W D N A H
O F E V E R B N E L O S E H Q E D
E R S S Q T A R S H S W G P A I
E C N D K O S H T P E D I Q V C
T O Y F G R L A H R K E V E U R
Y B O R A L Z O H Q Z U F R H S
V A C O T U O T B A E V E S E I
```

The ugly creature threw his
gruesome body into the deep
depths of the spooky lagoon.

Pages 8-9

SCREAMS

```
F S N R Z O R Z R B C O L D D R
W E L E C H O E D L R N I A D Y
W L B C A D F H J L M K I G E O
N P R L T V X Z A Y W U S Q F O
S H L D A W D R B B R A C Z V K
L S P Z H N S O T U H S T H R E
D L E W F T U Q V B C D H E F G
H J S K L S M T I M E S R B C K
N A C D G Z I J K E O N O Q P K
W F B E F H S R E H L M U M I N
F O W F A M L L O T Y D G W O O
P H E P A W X T R U L R H A B I
R Z T E U V Y A A M Z O C D E S
F G R H I J K L M N O R P Q R N
S C T U V Z D F G E D R R D I A
S W Y A B C E H I K H E L W G M
X H A U N T E D J L P T U G R E
```

Her screams of terror echoed
through the halls of the old haunted
mansion.

Pages 10-11

MAD

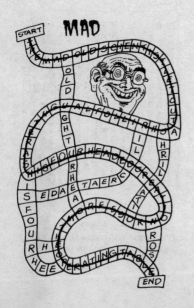

```
L W O G N I T A R E P O H W L D
A B H O K P Q L R S A C E L E T
U J T M U V E Y N X W Z A F G D
U G S W T I C H S B Q T H D T W C
H N T O L G V E O Q N G E R T R
T L U T N T H L F E R H D T T M
E T H Z O K I M B D C R M R O O
R J D P I R S M L R C H T I L R
N F I N T Y Y A B N T D A N D F
W O B E A W D W S K M B T V G
H T L I E O Q R I N X S L K I A
E R N L R T H T R A L L E R S G
H H T B C B N U N J L E Z B C D
T E G R T E X Y F O U R Z E I N
F H P S I B F S T V O J M P E O
J L N C V D G T H C L L I R H S
K M S O U W W X O L Y K Z L T R
```

The mad old scientist let out a
shrill of laughter as his four headed
creation rose from the operating
table.

Pages 12-13

EVIL

```
T L B H Z Q K L N B P N Q B Y H
W D Y N K L Z R O A R E D V H T
R A S B C D F O G H J K L I I M
W N C D B V U L T S R Q S P M N
L D Y M V E S L T N K S B J Y X
E L C A T R I E N T E R M H M B
N Y S E T N S D H S T R U C K A
G T H R K T Y M R N J H L I V E
E N B C L S H D N A K R D Y D E
H E A S S T B E A M L L S C L E
T O W N W Y R K C T Y S W T A M
D B O C D F G H J W H E T M Y R
L F U E I C H N K S T Y H N Q E
F T T T B Y Q M O N S T E R N W S
O H B M B C E D C F G E H N I A
T Y T H R E E S C L O U D Z T L
H A G O N Y T H E N A S L Z V Q
```

The evil monster rolled back his
three eyes and roared out a loud
scream of agony as the laser
beam struck him.

Pages 14-15

WEB

```
D S C G I A N E F H B H D R O U
C R R T W A N I N I W P E H M W
D N G A N U O D N F M H A D S P
T H B H U C S N A N S F D S P S
I O A S U I S U A C N B L M N E
T A S R N L N O G L M O V T E S
S U E R T H I R S T Y T H S P C
T H B D R H B A H Y S O T P T K
A S A B P C E R B L R D U I Z K
S P U N E S A S L M A A O R B M
T U P F O H Y A B I C D O O L B
D F J A H R L R D T A M E S H Z
X J L O E S A E E C H E S K L L
W K S D T T F T U I U E R C R A
Z Y I T S X U V R V A E S A B G
T P Q O Z B T E M Z O Q V N E T
S Y O H A C D R U P Q L A A W S
```

The blood thirsty spider spun
its deadly web around its victim.

Pages 16-17

55

HAND

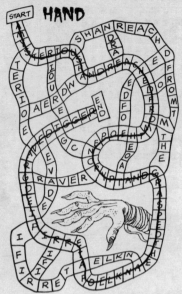

Pages 18-19

A mysterious hand reached from the open crypt and grasped the ankle of a terrified grave digger.

```
T R U O F A Z T V N G E Y C T M
H E G H E Z T E V Y C L I T M Y
A Y B G L C R P Q V N G C T S S
Z C N Y N D N R Y V D R J V U T
N H L D X J U I M C X E N C V R
J E D J E C V F P D K G Y L S I
K D B S O X Z I B C Z G C A T I
V K L U R Y T E E S S I N E P O
D J M L N A N D D G R D T U Y U
U Z X Y V B A L Y R M R C V R S
Z R S S D M N C G A J G D N C Z
O T G Y X U K P N S X T I G R E
D Y H N P O L F E P H J K B C B
K U V M T H E G V E X V W T D U
T C O L C Z L V A D E D Y L P Y
Y R E Y J K D J R L Z C F I Q B
F J O Z U V E G G R O V E F D C
```

GHOUL

Pages 20-21

The ghouls long, sharp fangs sank into the heart of the beast from another distant world.

```
E X B R T D I S T A N T M R C Q
D P L S P E H L G D N B F E J Q
E N V A D A N O T H E R T N Y B
A I R E R N F I N T O X W Y Z E
B C D P E F G H I M J K L M N A
E X D P E N B R T D I S G T A S
T N T M R C Q D P L L H S P E T
H E A R T H L G D N O R F E J O
E E N H V A D A N U N O T N E H
E R E T N Y B A L I G R C D E F
G H I J K L M S N O P Q R S T U
V W X Y Z A B C D E F G H I E J
B N V W O R L D D I S T A H X E
K N T G H O U Z R H Y T T E M S
N W C C W P N T H A T G U L F R
A I F A N G S R X R H H F S O M
S T H O S E B E E T E O O T N I
```

SERPENT

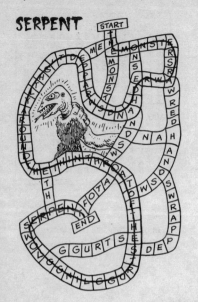

```
B S E R P E N T D L A H Y R W Y
Y W R T A O R H T Y H A L D R T
N E P R E N S E B C D F G E A H
I K F L B X Q I U L T S L P P G
G T P M D R J G T L S V P A P S
N B H J R L V K Q S E R P E E N
I B Y W R T W A O R H S T H O Y
L H A L D R O I N E R P T R E N
G S E B C D L F G E E A H J K F
G L Y L T H G I T A A N N I H T
R P T G N D N T B U Q T O N T H
T A A F B O S Y G T S P M H D R
S J W G M T L S W P D R E G Q H
F A I F Y O V K Q W N Y O S P L
O U N L E D N U O R A O U E T I
N T O I F U E N F N H R W S I N
```

The monster's raw, red hands wrapped tightly around the thin throat of the struggling glow serpent.

Pages 22-23

WOLF

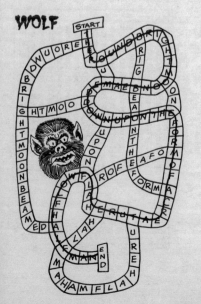

```
F L W N V R Y N S T Q B I T D E
W C B S P S O T N D E M A E B G
O L S E R U T A E R C N C T R L
L K M B R M T M L N N L I B C D
F S T S T D S N T L D G E F G H
N F L A H I J K L M H P R S T U
F R S T E T S H F C T W S P E X
X T C S T O S W T S H P T D W R
C F T E M O S I N I K P P U A T
T E J M Q U X B S R R K B C D F
B G F R N D C D R F Q G H I J K
C H I O S V N S R G N P O N M L
D K L T P W D U Q O R S U R V T
N W P F E U O P O S T N A M S Y
W P R L L E M M I R H R E R O E
O F I A H G N D N Z D I H O S T
D X G H T R A I N O P U N F R N
```

The round, bright moon beamed down upon the form of a creature half wolf, half man.

Pages 24-25

BLAZING

```
C F N S H L F M A N U Y T E H R
B P D F L T H E S T Q G S E T T
C D I N O S A U R O H G V T B B
D V O N M L K J I H G F E R D C
H Z P Q R S T T U V C H E Z L X
N T W F I R E X D B Q A B D A N
J B Y L B C O Y S S T T R N C T
L X T H E L A S G H B T O H H H
C I T Y I B N I I O A L E E R M
G R N F E R D N C F T E G N A G
M U I N O N G P T O D O N T E W
O C I T E B M A S I L G L I A L
K Y Y N E H T I S T I E A R S I
I W U M R A L E I T R M U E N U
B L A Z I N G N R O K C B O C E
F S A C F G I L N O Q U T B D W
E Q B D E H J K P M R S V C F G
```

The blazing, fire breathing
dinosaur set fire to the
entire city.

Pages 26-27

LIGHTNING

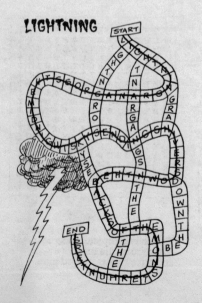

```
O M I D N I G H T H L I T N G S
F W R O K P U Q V R B S C T D E
U F G W H L J M K O N P N Q R D
S U T N B H J L M K O P R S B T
C D E F G I K M Q P Q R R S T I
B M V C N L I A T P E R F E B H
G O C I R D S T S A N I K S P G
I N I U F E S U R C C D H F I G
D S O W V B C G E E R R O S H I
B T R H T S N N T T R P O S H H
G E T S E B E I N A S N B S E M
I R Y T T G D N U L S E Z B S R
D J N R K U I T H E N D W I N D
S G Y S H I E H D E V B N V N N
Y O Y H H X E G J N A U S E R E
K O X E E B B I E O P L P R L H
S H T H E C A L N V D A E S A T
```

Lightning ran across the midnight
sky, sending shivers down the
backs of the monster hunters.

Pages 28-29

DESTROY

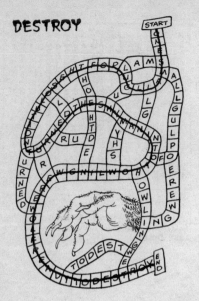

```
H B G R W N O I T U L O S H E I
O F N E C Y N D I L N B E G N O
W N E A O N D O W E N T O T D L
L L S D G E T O M Y D I O S C T
I F T Y O B C D N E W N V E B C
N L D F G H Y I J K A L M N O P
G O Q R S H T H I P R U E F I C
B W C D S M A L L O S T B C H K
E E F G J K L M N D Q V D G J M
N R R F J M Q R S E B C J K D L
O E B E K T N T T S D E T H E O
P W C G I H P O U T F G M N N P
Q F D H L E O V W R H I Q R R S
O T U D G R E T I O N G P L U G
T H L N N O S I F Y B D F J T Q
E R I A S N C H H G B E G K M P
O L M G T E N O R C C H I L N Q
```

One small gulp of the
solution turned the shy
man into a howling
werewolf, ready to destroy.

Pages 30-31

DUNGEON

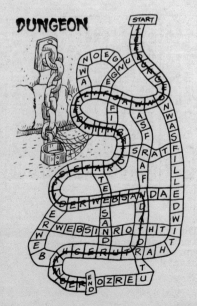

```
T H R N B G R E B C D E P C O M
C D E F G T D V F G H I Q C K S
H I J K L E N T J K L F R T B H
M N O P Q U R E M N I S V E A W
R S T U V I S G O L T U W L T S
C R O Z T E H L L V I N N G S J
S N P S H T R E D I P S O I N T
B C D T B C O L I T G N S T R I
E F G H E F G N B H O N G O T Y
H I W E B S H R E U R O R E H
J K L M I J K K G W I B F T B C
N O P A L M N N L L T S O U D F
C B L X S N U L I K K E D R U C
R A T S T D C H A M B E R E H O
L N E Q B O M N J O S N T T U G
S D N P C P F G M P H A D R K S
S C Y R F Q H L N H T W R C M
```

The dungeon was filled with
bats, rats, spider webs, and
a torture chamber.

WICKED

```
B R B D I L J K H E R G H B E I
L C S C J M G H I P E F B D N G
A M D T K N E V F Q K E C T N K
J B N E U O S T U R N B H I I C
K I C O F V A C D S I G H T K E
P L H A T G W M N E R R N D A L
X Q M G H P H X M O H G I L W X
A B R N E X T I Y F S H K Z C D
L M N S N F D T J Z D J O P Q R
Z D Y X T O H E Q K A W V U T S
B E I Q X W I C K E D C D F G
C H J R B G L Q V Z H L H I J K
D G K S C H M R W B A O F L M N
E U L T D I N S X U O P Z E R Q
F A M U E J O T G Q R S O H H G
G L N V I C T I M T U V B Y I S
H O P W F K P U Y W X Y O T S I
```

The wicked old head shrinker
laughed at the sight of her
next victim.

Pages 34-35

SKULL

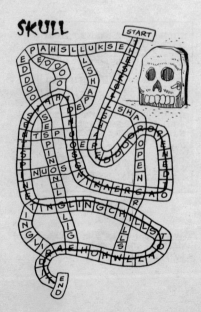

```
T H E P N C G N I L G N I T J S
S Y M C P D K U E K N W R H Y H
B C D R E F G C H I J K L M N A
T T T E H U V H S T W R Q P O P
S L H A E D O I R S H T I N G E
K L N K A O P L E N O P E N E D
U S P I R C R L E N K I N G T N
S O U N D S O S U N I D S T Y X
T H N G T B E F G H I T J K L A
M N O P Q R S T U V W H X Y L L
B D F H J K N O Q R S A T L N X
C E G I T L M P S E N T U V Y Z
L B P Q O U S N P C H I L Z H E
L G C R S V E I I R T O B U U Q
U L H D T W N M N E N D N X X Q
K M A I E X S A E K L L T T N T
S N O K J F N L I N S S R O O D
```

The skull shaped door opened to
a creaking sound that sent
spine tingling chills to all who
heard it.

Pages 36-37

GHOSTS

```
P T H E I R L G N O L A L Q T M
I B D V U C A C F F I J L N H P
R C Z I V D B D E G H K M O E Q
A N D C L O N E G D E D A V W R
T A M T N B H F L L H I F I I S
E B O I P C T H G U O R B C N T
S C Q M R D I N H Q W A L T Z U
L D S S T T W Y O F J O B I P V
M E U V W S E Y S H I H C M A W
N F X Y Z H E A T R T A D H H X
O G E F G C H E S L T E E L T Y
P H H I G N Q G E T B C F S H Z
Q I J K D D H D L B H E G T G U
R J L A E F N I M I C J H O U B
S K E N G L J K N F K D I Q O C
T O H O W L I N G L G M J B R D
U L T M O P Q R S T U V K A B F
```

The howling wind brought with it the ghosts of long dead pirates and their victims.

Pages 38-39

BEINGS

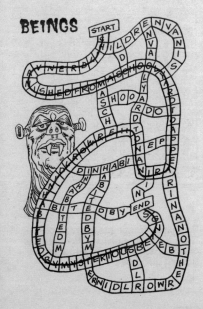

```
N D L L B O N E W T I H T I H S
M Y S T E R I O U S T I U P I
D B O O I K N T L N S F T N O N
W I W N N T N M Y F R N Y M O H
N E Y P G L E N T O S E B C A B
E F G R S H I J M X L M N O P I
C B C E D E F G H I J K L M N T
A H O X P Q R S T U V W X Y Z T
N B I A C D E F G H I J D K L E
O W X L V U T S R Q P E O N M D
T B L Q D G H A M C H B C B D M
H C M R S R I J N S R F G Y H I
E D N T U D E K I A S J K L M N
R F O V L D N P Q T O P P Q R
G H P R Z E A P P E A R S T B C
I J O X B V D F G H I J J K L M
K W W Y C F D R A Y L O O H C S
```

Children vanished from a school yard to appear in another world inhabited by mysterious beings.

Pages 40-41

61

COFFIN

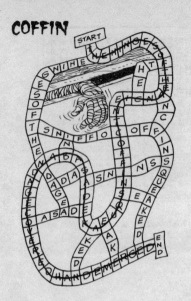

```
Q N N I F F O C H A N D W H Y O
K N I F F Q N D E K A E U Q S B
C D F E F G H I J K S L M N O P
X B W O C V D U E T F S G R H Q
Q B P C O F N I M L Z K E J Y I
D R E S G T H U J V K W M L X M
Y N Z P O Q R T S U V W E X Y Z
E I N F I N I W I T Y F R E F J
W L M O T S D E O N A E G O R E
T C O M T D S G E T R C E E F H
N P L E E I B A T E D D G H T
E I J K L T M D Q C E G P U L K
I N O P Q H I N G E S H Q V I J
C O V E R E D A R D F I R W G H
N T B F I L N B S H I N G Z F E
A S C E H K O T V J L O S X D B
R U D G J M P U W K N M T Y N C
```

The hinges of the ancient
coffin squeaked as a
bandaged covered hand emerged.

Pages 42-43

BAT

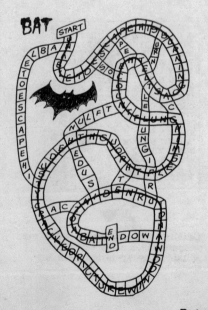

```
P T Z H P R N T C R E C K Q N W
T U R N E D B T Q R E U L W F T
B D F H J L M C H P O T N I R S
C E A G I K N Q E L B A N U T
Z K N O N S M I L S R U I D G H
T J P O H S N R E T Z R I O L E
O N N Y E H T U N T R N C W T V
T L W L C D E R U T C I P C B S
V L F C E R N L T H T N U O C I
G R V T O N H C N T E G D H R
E O L I U C E K I K Y O U I T I
C R A C K E D M E S R I S M N O
B D G N U L F J L M P Q T S T V
E C G F H T I D K O N R Y A U W
D N T G T S N U L P R G H T B Z
T C E S C A P E R E C K O N W B
P T Z H B C H G U O R H T D F G
```

Unable to escape his burning castle,
the count flung himself through the
dusty, cracked picture window and
turned into a bat.

Pages 44-45

62

EYES

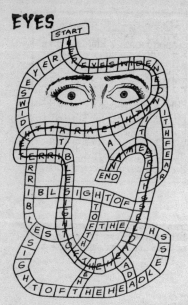

```
W N E W T H R O R H T U B T S E
I I C E A E B F I G S N U T Y E
O E T L O D Y T E A Y O T E H R
M C A H U S B U S D F R S R E S
T O F T C H N N W W K A T R K G
H O R S E M A N Y A I D A I I S
H E N I E B U H O L N N L B N U
S R O B T M S E E O G R E L R L
U E U K S I T R R R E P A E L U
H E A D L E S S D G N T N U H O
W O I Z K M D R Q R O E O G W R
D N W H O E T E R R R B E W B D F
S E T R N R H I Z Z L O K C E G
B C O E L H E W M L K J R I T H
D Z D E I L O R E T B E G A H W
S I G H T K P Q H U E C I J E X
W F G H J M N S T V D H Y Z E F
```

Her eyes widened with fear at
the terrible sight of the headless
horseman.

Pages 46-47

WITCH

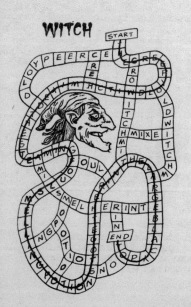

```
P C F G E L S M R E N E M R B U
K O N Z K B F I C L H N J I O D
E F T G K P M X Q R S Z H T B U
V Y M I R W S E T X R F O U L Y
B I H L O M L D E A T R M L Z C
C P L A U N A Z R A T M I B D A
I N S C I R S E I D B S L X Y E
T H E W D H A O I P S Z Y F O S
L C B S M E L L I N G L P O W T
D T R L E Q R E H T E G O T D A
A I N A A I S Y Y H E A T R I A
A W A R T C A R T O Y T K L M M
N T W G A I K J O P U B A C L I
O P X E B P K Q E H T A I L O N
Q U H C G L N E V P V D E P A G
R T Y D E M R R U L A F S W H E
S V Z F H C S T I S X G R E T Z
```

The creepy, old witch mixed the
steaming, foul smelling potions
together in the large, black pot.

Pages 48-49

HOWLING

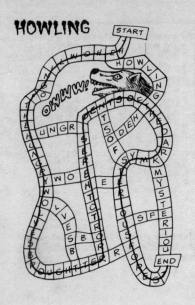

```
P M H Y S M T Z G A T H Z O Y E
T Y J R P Y P T O R H J Q U B C
M S K Y K S R V I R E K K F D E
Y I T L M Q T A U S E V L O W G F
I E M R B M T S N S W M S S H I
T R N O C R Y A G I U S U Y K J
S R I O Y D B K R A D N E S Q L M
R A O R R E S F I N E K V P E N O
A U O G F R O H H N L H I U H P
I S R N G A R O H T S G C S Q T
G P R U H I E W O S B K T O R S
C Q E H T R S L W E C R H F T U
H R T W H B T S L F D B G G V W
D S X G E T B B I D E C U D H O
E T D B I S Y T N E F G O O I M
F U N L J F O E G N G D R B M Y
G V T A K O M H C C T F B O S I
```

The howling of the hungry wolves
brought terror to the residents
of the dark, mysterious forest.

Pages 50-51

64